EL BOL DE MADERA

THE WOODEN BOWL

Written by Ramona Moreno Winner
Illustrations by Nicole Velasquez

A **BrainSTORM 3000** Publication
www.brainstorm3000.com

ISBN# 978-0-9651174-3-2   LCN# 2007903021

Before my grandfather came to live with us, I was the one who would get blamed for leaving the toilet seat up, for scattering crumbs around the table when I ate, and for emitting loud sounds that make the air smelly. But since grandfather came, I now have a friend and partner in crime.

Antes de que mi abuelo viniera a vivir con nosotros, a mí me culpaban por dejar levantado el asiento del excusado, llenar la mesa de migajas al comer y por emitir fuertes sonidos que dejan el aire apestoso. Pero ahora, desde que llegó mi abuelo, tengo un amigo y cómplice.

Grandfather is very old. His hands tremble a lot and he can't
see very well. He moves kind of slow and he can't hurry to
dinner like I can when Mom calls out.

Mi abuelo ya está muy viejo. Sus manos tiemblan mucho y no ve bien. Se mueve con cierta lentitud y no puede llegar a cenar tan rápido como yo cuando mamá nos llama.

I try not to notice, but he sometimes spills his milk on the tablecloth when he reaches for his glass and his spoon shakes so hard in his hand that food drops around his plate and onto the floor. He says it's because his hands don't want to listen to him anymore.

Hago como que no me doy cuenta, pero a veces se le tira la leche en el mantel al extender la mano para alcanzar su vaso, y la cuchara tiembla tanto en su mano que la comida se le cae alrededor del plato y en el piso. Él dice que es porque sus manos ya no quieren hacerle caso.

I know he doesn't do these things on purpose because this happens to me sometimes too. When Mom and Dad get this awful look on their faces, I just want to hide. I bet Grandfather feels the same way.

Yo sé que no hace estas cosas a propósito, porque en ocasiones a mí también me suceden. Cuando mamá y papá tienen esa horrible expresión en sus caras, me dan ganas de esconderme. Estoy seguro que abuelo siente lo mismo.

One evening I noticed a small table set in the corner of our dining room. When we came for dinner, Dad put Grandfather at the small table where Grandfather sat and ate dinner alone.

Una noche noté que había una pequeña mesa en un rincón del comedor. En el momento en que llegamos a cenar, papá puso a mi abuelo en la mesita, donde se sentó a comer solo.

Mom and Dad would look over to his table whenever they heard his fork fall, or his glass tip over, or a plate break. Although they would help him, they would huff a lot and say things like, "now what?"

Mamá y papá miraban hacia donde estaba abuelo cada vez que oían caer su tenedor o se volteaba su vaso o se rompía un plato. Aunque le ayudaban, se enojaban mucho y decían cosas como: _ ¿ahora qué?

I sat there in my own seat looking at Grandfather while his eyes filled with tears. I felt so bad because I knew he didn't do these things intentionally; they just happened.

Desde mi lugar yo miraba a mi abuelo mientras sus ojos se le llenaban de lágrimas. Sentí tanta pena porque sabía que no hacía estas cosas a propósito; sólo sucedían.

One day at dinner, I saw Mom serve Grandfather his dinner in a large wooden bowl. I asked, "Why is grandfather eating out of a big bowl? Why can't he eat at the table with us?"

Un día, en la cena, vi que mamá le servía la comida al abuelo en un bol grande de madera. Pregunté, _ ¿por qué abuelo come en un bol? ¿Por qué no puede comer en la mesa con nosotros? _

Dad said it was because he was messy and broke too many dishes. I felt very bad for Grandfather; I would hate my food to run all together in a big bowl.

Papá dijo que era porque ensuciaba todo y rompía demasiados platos. Sentí mucha pena por mi abuelo. No me gustaría para nada que toda mi comida se mezclara en un bol grande.

The next day, when my parents went out after dinner, I found some long, thin wood scraps in the garage and brought them into the living room along with a glue stick and some tape. I began forming them into round circles, thinking I would glue them together. Later, when Mom and Dad came home, Mom asked "What are you making, Diego?" I said, "I am making wooden bowls for you and Dad to eat your food when I grow up."

Al día siguiente, cuando mis padres salieron después de cenar, encontré unos trozos largos y delgados de madera en la cochera y los traje a la sala, junto con pegamento y cinta adhesiva. Empecé a formar las maderitas en círculos, pensando que las pegaría juntas. Más tarde, cuando mamá y papá regresaron a casa, mamá preguntó, _ Diego, ¿qué estás haciendo? _   _Estoy haciendo boles de madera para que mi papá y tú coman en ellos cuando yo crezca, _ respondí.

As I looked into their faces, they were without words. Tears streamed down their cheeks. Although no words were spoken, both Mom and Dad knew what they must do. They would never want to be treated as they were treating Grandfather.

Al verles la cara, se quedaron mudos. En aquel momento se les empezaron a rodar las lágrimas. Aunque no dijeron ni una sola palabra, ambos supieron lo que debían de hacer. Nunca quisieran ser tratados como ellos estaban tratando a mi abuelo.

The next evening at dinner, Dad led Grandfather by his hand and sat him next to me at the dinner table where he has joined us ever since. When grandfather spills something or drops something, we all just pick it up and go on with dinner. I don't mind helping Grandfather, because when you love someone, you want to help them, not hurt them.

La siguiente noche durante la cena, papá llevó a mi abuelito de la mano y lo sentó junto a mí en la mesa del comedor, donde ha cenado con nosotros desde entonces. Cuando mi abuelito derrama o tira algo, todos lo recogemos y seguimos cenando. Yo no me molesto cuando necesito ayudar a mi abuelo, porque cuando amas a alguien, quieres ayudarlo, no lastimarlo.

Discussion:

What name do you give your grandparents?

What is your family tradition for caring for grandparents?

Where do your grandparents live?

Name one thing you learned from your grandparents.

About the Story:

How were Diego and his grandfather the same?

Did Diego and his grandfather mean to be messy at the table?

What made grandfather drop things?

What made Diego spill things?

Did having grandfather join the family make twice the work for the mom?

Were the mom and dad trying to be mean to the grandfather?

What made the mom and dad see they were hurting the grandfather?

What do you think the grandfather was thinking when:

     a. He came to his son's home.
     b. He spilled things.
     c. He was placed at another table and given a wooden bowl.
     d. He was welcomed at the dinner table.

How should each one of us be treated?

Writing Assignment:

Write about one of the following topics:

A grandparent.

A funny thing a grandparent did.

What you learned from a grandparent.

How your grandparent helped you.

If you don't have a grandparent, what would your grandparent be like if you could make one up?

How you would care for your parent.

Discusión:

¿Qué nombre les das a tus abuelos?

¿Cuál es tu tradición familiar para cuidar a los abuelos?

¿Dónde viven tus abuelos?

Nombra una cosa que aprendiste de tus abuelos.

Acerca de la historia

¿Cómo eran iguales Diego y su abuelo?

¿Querían ser desordenados en la mesa Diego y su abuelo?

¿Qué hizo al abuelo derramar cosas?

¿Qué hizo a Diego derramar cosas?

¿Hizo doble el trabajo a la mamá que el abuelo se uniera a la familia?

¿Estaban mamá y papá tratando de ser rudos con el abuelo?

¿Qué hizo a mamá y a papá ver que estaban lastimando al abuelo?

¿Qué crees que el abuelo estaba pensando cuando...

    a) ...el fue a vivir a casa de su hijo?
    b) ...el derramó cosas?
    c) ...el fue puesto en otra mesa y se le dio un bol de madera?
    d) ...el fue bienvenido a la mesa de cenar?

¿Cómo debería ser tratado cada uno de nosotros?

Asignatura de escritura:

Escribe acerca de uno de los siguientes temas:

Un(a) abuelo(a).

Una cosa graciosa que hizo un(a) abuelo(a).

Lo que aprendiste de un(a) abuelo(a).

¿Cómo te ayudó tu abuelo(a)?

Si no tienes abuelo(a), ¿Cómo sería tu abuelo(a) si pudieras inventar uno(a)?

¿Cómo cuidarías a tus padres?

Vocabulary:

1. Abuelo   (a) grandmother   (b) grandfather
2. Bol   (a) bowl   (b) cents
3. Madera   (a) wool   (b) wood
4. Viejo   (a) new   (b) old

5. Plato   (a) cookie   (b) plate
6 Piso   (a) floor   (b) flour
7. Mano   (a) same   (b) hand
8. Siente   (a) feels   (b) cares

9. Fuerte   (a) slow   (b) strong
10. Mesa   (a) bowl   (b) table
11. Comida   (a) wool   (b) food
12. Vivir   (a) new   (b) live

13. Mismo   (a) same   (b) song
14. Caras   (a) faces   (b) cares
15. Cosas   (a) things   (b) toys
15. Rincón   (a) cover   (b) corner

17. Cuchara   (a) sugar   (b) spoon
18. Siguiente   (a) following   (b) fortune
19. Porque   (a) because   (b) pig
20. Nunca   (a) no   (b) never

21. Lastimar   (a) lasting   (b) hurt
22. Tira   (a) time   (b) throw
23. Mudos   (a) speachless   (b) laughing
24. Hago   (a) I make   (b) I like

25. Amar   (a) to love   (b) to seek
26. Todo   (a) always   (b) all
27. Juntos   (a) together   (b) tonight
28. Tarde   (a) late   (b) never

Key: 1b, 2a, 3b, 4b, 5b, 6b, 7b, 8a, 9b, 10b, 11b, 12b, 13a, 14a, 15a, 15b, 17b, 18a, 19a, 20b, 21b, 22b, 23a, 24a, 25a, 26b, 27a, 28a

Vocabulario

1.	Grandfather	(a) abuelo	(b) gusto
2.	Bowl	(a) bolsa	(b) bol
3.	Wood	(a) puerta	(b) madera
4.	Old	(a) viejo	(b) voces
5.	Plate	(a) vaso	(b) plato
6.	Floor	(a) cuarto	(b) piso
7.	Hand	(a) mano	(b) dedo
8.	Feels	(a) siente	(b) piensa
9.	Strong	(a) fuerte	(b) gusto
10.	Table	(a) cuento	(b) mesa
11.	Food	(a) cantos	(b) comida
12.	Live	(a) vivir	(b) voces
13.	Same	(a) mismo	(b) gusto
14.	Faces	(a) caras	(b) cuentos
15.	Things	(a) puerta	(b) cosas
16.	Corner	(a) rincón	(b) voces
17.	Spoon	(a) cuchara	(b) cuchillo
18.	Following	(a) siguiente	(b) sonido
19.	Because	(a) puerta	(b) porque
20.	Never	(a) tarde	(b) nunca
21.	Hurt	(a) llorar	(b) lastimar
22.	Throw	(a) tira	(b) toro
23.	Speachless	(a) mudos	(b) milagros
24.	I Make	(a) hago	(b) mantel
25.	To love	(a) ojos	(b) amar
26.	All	(a) todo	(b) tomar
27.	Together	(a) juntos	(b) arbol
28.	Late	(a) tarde	(b) listos

Key: 1a, 2b, 3b, 4a, 5b, 6b, 7a, 8a, 9a, 10b, 11b, 12a, 13a, 14a, 15b, 16a, 17a, 18a, 19b, 20b, 21b, 22a, 23a, 24a, 25b, 26a, 27a, 28a

Place a picture of your loved one here.

Place a picture of your loved one here.

THE WOODEN BOWL is a retelling of the Brothers Grimm's Fairy Tale #78

Spanish Language Translator: Roni Capin Rivera
Design & Production: Robert Winner
Illustrator: Nicole Velasquez
Illustration Editor: Lisbeth Meyer

Summary: Diego teaches his parents a lesson on how to treat his aging grandfather; the way the parents treat the grandfather now, is how Diego will be treating them when they become elderly and in need of care. This story carries a message for all generations.

ISBN: 9780965117432
LCN: 2007903021

Check out Ramona's other biligual books: Freaky Foods From Around the World, Lucas and His Loco Beans, and It's Okay to be Different!

Dedication: To Antonio Dominguez, my Tata, for all the fond memories he shared and the patience he showed to all his grandchildren.